ik tem een beer

Annemarie Bon
tekeningen van Tineke Meirink

Zwijsen

ik ben peer.
ik ben een baas.

ik ben peer.
ik ben een baas.
ik tem beer.
ik mep.
mis!

ik ben beer.
ik mep met een poot.
ik ben boos.
rrr!

ik ben peer.
ik ben een baas.
ik tem aap.
raap een noot, aap!

ik ben aap.
ik raap een noot.
en meer en meer.
voor peer!

ik ren voor beer.
ik ren voor aap.

ik tem mees!

ik ben mees.
ik ben boos.
nee peer, nee.

ik ren voor beer.
ik ren voor aap.
ik ren voor mees ...

ik tem vis!

ik ben vis.
peer is maar raar.
ik mep naar peer.
ik mep met een vin.

ik ren voor beer.
ik ren voor aap.
ik ren voor mees.
ik ren voor vis.

ik tem roos.
en ik tem toos.
ik ben peer.
ik ben een baas!

ik ben toos.
is peer een baas?
nee!
ik ben boos!

ik ben roos.
is peer een baas?
nee!
ik ben boos!

ik ben peer.
ik ben een baas.
ik ben boos.

een teen in een neus.
een teen in een oor.
een poot in een neus.
een poot in een oor.

ik ben peer.
ben ik een baas?
tem ik aap en beer?
en vis en mees?
en roos en toos?
nee!

ik ben aap.
ik tem peer.
ren, peer!
ren!
ik mep!

Serie 3 • bij kern 3 van Veilig leren lezen

Na 7 weken leesonderwijs:

1. sep is boos
Frank Smulders en
Leo Timmers

2. een roos voor toos
Marianne Busser &
Ron Schröder en
Marjolein Pottie

3. ris, ris!
Maria van Eeden en
Jan Jutte

4. is sem er?
Anneke Scholtens en
Pauline Oud

5. ik tem een beer
Annemarie Bon en
Tineke Meirink

6. een vis met een pet
Anke de Vries en
Camila Fialkowski

7. sok aan, moos!
Daniëlle Schothorst

8. saar en toon
Stefan Boonen en
An Candaele